Le livre fantastique des énigmes logiques

Muriel Mandell

Le Ballon

ISBN 90 374 3175 5
D - MM - 4969 - 11

Adaptation française: SPIP / Bruxelles.

Titre original: Fantastic Book of Logic Puzzles © 1986 Muriel Mandell.
Copyright illustrations © 1986 Elise Chanowitz.
Publié pour la première fois aux États-Unis en 1986 par Sterling Publishing Company, Inc. USA.

Publié en accord avec Sterling Publishing Company, Inc.

SOMMAIRE

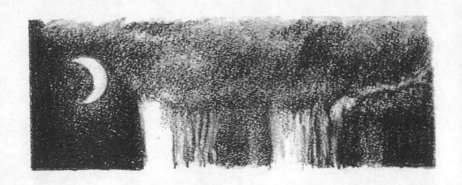

Avant de commencer

Depuis la nuit des temps, les énigmes constituent un moyen ludique d'apprendre à raisonner logiquement et à développer ses capacités de réflexion.

Elles ont apporté un plaisir intellectuel aux plus grands penseurs, depuis les Egyptiens jusqu'à des savants médiévaux réputés tels qu'Alcuin et Rabbi Ben Ezra, en passant par les légendaires philosophes orientaux et les Grecs anciens.

Il ne faut toutefois pas oublier que les énigmes ne constituent pas seulement un divertissement. De nombreuses disciplines pratiques, comme la géométrie, ont été élaborées - du moins en partie - à partir des concepts découverts au cours de ces jeux mathématiques. Par exemple, la théorie des probabilités, dont l'utilité n'est plus à démontrer, serait dérivée d'un essai que le mathématicien Pascal aurait fait au 17ème siècle pour résoudre une discussion sur un pari! Les formules du chapitre 'Les maîtres des probabilités' sont d'ailleurs encore utilisées aujourd'hui par les économistes.

Ce livre propose un recueil des questions de logique qui ont fait leurs preuves. Vous n'êtes pas obligé de les aborder dans l'ordre des chapitres. Il est par contre recommandé de se plonger dans un chapitre à la fois et d'y résoudre un maximum d'énigmes, de préférence dans l'ordre, avant de passer à un autre chapitre.

Chaque chapitre débute par des énigmes simples, afin de pouvoir acquérir la logique du raisonnement pas à pas. Si vous ne trouvez pas la solution, une aide vous est proposée dans le chapitre 'Indices' qui commence à la page 59. L'indice porte sur une tournure linguistique compliquée, révèle l'angle d'attaque du problème ou encore donne une simple formule.

Il est moins important de trouver la solution que de découvrir comment on y parvient. C'est pourquoi des explications détaillées sont fournies à la fin du livre pour chaque énigme, qu'elle soit simple ou complexe. Mais si vous découvrez d'autres méthodes plus faciles ou plus rapides pour résoudre une ou plusieurs énigmes, n'hésitez pas à nous les communiquer pour que nous les fassions partager à d'autres mordus.

Toutes les énigmes sont campées dans des situations relevant du fantastique, simplement pour l'amusement. Rien ne vaut des ambiances magiques, fantastiques ou humoristiques pour stimuler l'imagination. Et puis, quel plaisir de les écrire!

Mais trêve de bavardages... En route pour l'espace interplanétaire, les royaumes mythiques, les mille et une nuits et la magie médiévale. Que votre voyage soit hallucinant!

Mensonges & Martiens

Comment savoir si cet extra-terrestre dit la vérité ou s'il ment?

Dans la vie courante, si vous rencontrez quelqu'un susceptible de mentir, vous êtes attentif à son comportement ou à son regard, à vos émotions ou vos préjugés. Mais dans les casse-tête qui suivent, vous ne pourrez compter que sur votre logique!

1. Gouzi-gouzi Martien

Son astronef posé sur Mars, l'astronaute Jonathan Mari débarque et s'approche du premier Martien qu'il voit.

"Suis-je dans la bonne direction pour les fouilles géologiques?" demande-t-il. En guise de réponse, le Martien se frotte le ventre.

Mari sait que les Martiens peuvent comprendre des bribes de langue terrienne, mais pas la parler. Et Mari ne peut ni comprendre ni parler le Martien, basé sur des gestes. Il ignore si frotter son ventre signifie oui ou non. Mais il lui suffit de poser une question supplémentaire pour trouver la réponse.

Quelle est cette question?

Indice ➜ page 60

Solution ➜ page 70

2. Ami ou ennemi?

On rencontre différentes espèces de créatures sur Mars. Les Véridiques, gentils avec les Terriens, disent toujours la vérité. Les Menteurs, hostiles, ne cessent de mentir. Mais les astronautes sont incapables de les différencier.

"Etes-vous un Véridique?", demande Jean Armor à un Martien rayé. "Il dira 'Oui'", répond un Martien tacheté qui se trouvait là. "Mais il mentira."

Qui est le Véridique, le Martien rayé ou tacheté?

Indice ➜ page 60

Solution ➜ page 70

3. A la Recherche de Doman

C'est la quatrième fois que l'astronaute José Perin se rend sur Mars et il a appris à parler le Martien. Il veut retrouver son ami martien Doman mais pour cela, il doit d'abord savoir à quelle tribu il appartient. Les trois tribus de cette région sont les Utis, les Yomis et les Grundis.

Les Utis disent toujours la vérité.

Les Yomis mentent en permanence.

Les Grundis disent parfois la vérité et parfois des mensonges.

Perin a besoin d'informations. Trois Martiens, Aken, Bal et Cwos, qui appartiennent chacun à une tribu différente, acceptent de l'aider. Il pose deux questions à chacun d'entre eux: A quel groupe appartiens-tu? A quel groupe Doman appartient-il?

1. Aken répond: 'Je ne suis pas un Uti. Doman est un Yomi.'
2. Bal répond: 'Je ne suis pas un Yomi. Doman est un Grundi.'
3. Cwos répond: 'Je ne suis pas un Grundi. Doman est un Uti.'

A quelle tribu Doman appartient-il?

Indice → page 60

Solution → page 70

4. Mystère Martien

La situation avec les Grundis est explosive. L'un d'entre eux a endommagé l'astronef en lançant une pierre. Les astronautes ne comprennent pas pourquoi. Est-ce simplement du vandalisme? Sont-ils jaloux? Ou peut-être que tout le monde sur Mars n'apprécie pas le retour des Terriens.

Le chef de la police martienne arrête cinq Grundis. Comme tous les Grundis, parfois, ils mentent, et parfois, ils disent la vérité. Chaque suspect fait trois déclarations, dont deux sont vraies et une fausse. C'est ainsi que le coupable est découvert.

1. Zum dit: 'Je suis innocent. Je n'ai jamais utilisé de pierre pour détruire quoi que ce soit. C'est Tset qui l'a fait.'
2. Uk dit: 'Ce n'est pas moi qui suis responsable. Le vaisseau terrien est sur notre territoire. Yan n'est pas mon ami.'
3. Pala dit: 'Je suis innocent. Je n'ai jamais rencontré Yan. Tset est le coupable.'
4. Tset dit: 'Je n'ai pas lancé la pierre. C'est Yan qui l'a fait. Zum ne dit pas la vérité en affirmant que je suis le coupable.'
5. Yan dit: 'Je suis innocent. Uk est le coupable. Pala et moi sommes de vieux amis.'

Qui est le coupable?

Indice → page 60

Solution → page 70

Traversées planétaires

D epuis plus d'un millier d'années, faire traverser une rivière (un canal, un ravin ou un lac) aux faibles et aux sans défense pour les protéger de leurs ennemis est un problème préoccupant. On retrouve ces énigmes autant dans le folklore africain qu'ailleurs dans le monde. Peut-être en connaissez-vous d'autres versions avec des renards et des oies, des cannibales et des missionnaires, ou d'autres combinaisons de prédateurs et d'innocents. On raconte que l'empereur Charlemagne, entre les batailles qui ont lui ont permis de conquérir son Empire, a passé un nombre incalculable d'heures à résoudre des versions de ces mêmes énigmes, datant du 8ème siècle!

5. Les yenyens ne mangent pas

Jonathan Mari réunit trois spécimens de plantes et d'animaux martiens afin de les ramener sur Terre: un garbel, un farfel et un yenyen. Mais Mari est inquiet. Son véhicule local lui permet d'emmener un seul spécimen à la fois avec lui. Mari sait que les garbels mangent les farfels et que les farfels mangent les yenyens. Par contre, les garbels ne mangent pas de yenyens et ces derniers ne mangent pas du tout. Tous les autres astronautes ont quitté le vaisseau. Comment Mari va-t-il transporter un par un les différents spécimens tout en garantissant leur sécurité?

Indice → page 60
Solution → page 71

6. La gravité sur Mars

Deux Martiens et deux Terriens doivent traverser un canal. Vu la gravité sur Mars, les deux Terriens pèsent chacun 100 kg et les Martiens 50 kg. Le véhicule nautique ne peut supporter plus de 100 kg. Comment vont-ils tous traverser le canal?

Indice → page 60
Solution → page 71

7. Chute de pierres

Attaqués alors qu'ils effectuaient trois expériences très importantes, trois Terriens ramènent trois Grundis coupables aux autorités. Brusquement, ils entendent le bruit d'un éboulement. Ils savent qu'ils vont mourir s'ils ne passent pas de l'autre côté de la rivière. Leur véhicule nautique portable ne peut supporter que deux passagers, quel que soit leur poids. Il ne peut jamais y avoir plus de Grundis que de Terriens d'un côté ou de l'autre de l'eau. Sinon, les Grundis prendront le dessus et voleront les cordes et les poulies indispensables pour traverser cette région dangereuse. Comment peuvent-ils tous traverser l'eau en toute sécurité?

Indice ➙ page 60

Solution ➙ page 71

8. Nageoires et plumes

Des membres hostiles des tribus Utis, Grundis et Yomis voyagent ensemble pour participer à une conférence. Chaque groupe compte un membre à nageoires et l'autre à plumes. Le Martien à nageoires, beaucoup plus fort que son ami à plumes, doit le protéger. Un Martien à plumes ne peut jamais rester seul avec un Martien à nageoires étranger, sauf si le Martien à plumes de cette autre tribu est aussi présent.

Le voyage se déroule normalement jusqu'à l'apparition d'un profond ravin. Pour le traverser, il faut une corde mais elle ne peut supporter que deux d'entre-eux à la fois. Et elle n'est pas assez lourde pour être renvoyée seule de l'autre côté du ravin. Comment vont-ils tous traverser le ravin?

Indice ➙ page 60

Solution ➙ page 72

Malice Martienne

Quand vous pensez à des questions logiques, c'est probablement au genre de casse-tête que l'on trouve dans ce chapitre. Vous recevez des informations sur une situation dans laquelle interviennent divers éléments: lieux, personnages et objets. En associant ces informations et en éliminant les impossibilités, vous pourrez établir qui est lié à qui, qui fait quoi et quand.

Si ce type d'énigmes vous passionne, vous êtes en bonne compagnie. Fasciné par ce genre de problèmes, le mathématicien Charles Dodgson, qui écrivit Les Aventures d'Alice au pays des merveilles, comme Lewis Carroll, en a inventé une multitude.

9. Equipes aériennes

Les plupart des Martiens à plumes évoluent très facilement dans les airs. Tous les quelques lunars, les Martiens à plumes des différentes tribus participent à un tournoi pour déterminer qui sont les meilleurs Martiens volants de la planète. Ce lunar, des équipes composées de deux Martiens à plumes appartenant à trois tribus sont en compétition:

1. Une équipe est composée d'Utis, une autre de Grundis et une troisième de Yomis.
2. Chaque équipe est composée d'un mâle et d'une femelle.
3. Les femelles se nomment Xera, Wora et Teta.
4. Les mâles sont Vel, Pyi et Rir.
5. Malgré ses prouesses aériennes, Teta ne s'est jamais éloignée de chez elle avant cette compétition.
6. Xera et Rir ne se sont jamais rencontrés auparavant.
7. Xera rendra visite à la tribu de Pyi quand les Yomis partiront en excursion vers cette partie de la planète.
8. Pyi admire les plumes colorées de Teta, ainsi que sa capacité à s'élever dans les airs. Pyi l'a déjà observée avec son partenaire dans le territoire des Grundis.

Si les gagnants appartiennent à la tribu des Utis, quels sont les noms des meilleurs Martiens volants?

Indice → page 61

Solution → page 72

10. L'équipage de l'astronef

Eric Bar, Jean Robin et Max Joly sont les officiers du vaisseau spatial. Ils remplissent les fonctions de pilote, ingénieur et biochimiste, mais peut-être pas dans cet ordre. Comme ils ont des difficultés à retenir les noms martiens, ils ont surnommé les trois Martiens qui travaillent avec eux: Bar, Robin et Joly.

1. Robin est un Yomi.
2. Bar ne parle pas autre chose que le Martien.
3. Tous les linguistes martiens sont des Utis.
4 Le Martien qui sert d'interprète respecte le Martien qui porte le même nom que le biochimiste.
5. Le Martien qui porte le même nom que le biochimiste est un Grundi.
6. Jean Robin bat l'ingénieur aux échecs.

Qui est le pilote?

Indice ➙ page 61
Solution ➙ page 73

11. Question de plumes

Une conférence intraplanétaire réunit quatre Martiens des tribus Utis, Grundis, Yomis et Rafis, afin de discuter de la présence des Terriens sur leur planète. Comme il se doit pour des envoyés diplomatiques, ils sont tous parés de magnifiques plumes: rouges pour l'un, vertes pour l'autre, bleues pour le troisième et marron pour le dernier. Ils s'appellent Aken, Bal, Mun et Wora.

1. Avant la réunion, l'Uti prend un agréable petit déjeuner avec Mun.
2. Après avoir débattu avec les Martiens aux plumes bleues et marrons, Bal et le Yomi sont tellement en colère qu'ils leur arrachent une poignée de plumes avant qu'on ne puisse les arrêter.
3. Wora et le Rafi s'accordent toutefois avec le diplomate aux plumes marron, bien qu'ils ne soient pas d'accord avec le Grundi aux plumes rouges.

Qui est le diplomate aux plumes bleues et à quelle tribu appartient-il?

Indice → page 62

Solution → page 75

12. L'ami d'Aken

La veille du retour de l'astronef sur Terre, les Martiens organisent un dîner d'adieu pour l'équipage. Ils sont huit à table: Aken, Bal, Mun, Mari, Wora, Bar, Ridel et Joly.

a. L'un est un mordu d'histoire.
b. Un autre est un génie en maths.
c. L'un d'entre eux est très grand.
d. Un autre est l'ami d'Aken.
e. Un autre a des plumes jaunes.
f. L'un d'entre eux est un pilote.
g. Un autre collectionne les pierres.
h. Le dernier parle plusieurs langues.

1. La personne qui est l'amie d'Aken est assise en face de Mari, le collectionneur de pierres.
2. Wora est assise entre le génie des maths et l'ami d'Aken.
3. Le grand est assis en face de Wora, qui a Aken à sa gauche.
4. Joly, qui n'a pas de vrais amis dans le groupe, est assis à la droite de Mun qui domine tout le groupe.
5. Celui qui a des plumes jaunes est assis en face de Bal, entre Mun et le polyglotte.
6. Bar est à la droite du collectionneur de pierres et en face du pilote qui est à côté de Ridel.

Qui est l'ami d'Aken?

Indice ➙ page 62
Solution ➙ page 78

L'Union des Esprits

Toutes les unions ne sont pas sacrées et certainement pas celles du royaume mythique présenté dans ce chapitre. Associées à des bottes de sept lieues ou des armes magiques, nos énigmes sont posées par une horde de terribles ogres et de malicieux sorciers. Pour les résoudre, vous devrez convertir des mots en symboles et en formules mathématiques. De précieux outils qui vous seront bien utiles dans les dernières énigmes où les chiffres se multiplient!

13. Dans le noir

Pour battre la campagne et attaquer les pauvres gens sans défense, l'ogre ouvre sa grande armoire: c'est là qu'il garde quatre bottes de six lieues et huit bottes de sept lieues. Mais il y fait trop sombre. Combien de bottes devra-t-il sortir de l'armoire pour former une paire de bottes semblables?

Indice → page 63
Solution → page 80

14. Jeu d'epée

Le Roi est déterminé à défendre son royaume contre le méchant ogre. Il envoie ses deux fils aînés chez l'armurier de la Cour qui conserve les armes anti-ogre enfermées dans un coffre: quatre dagues, trois épées et deux haches. Les deux Princes insistent pour disposer des mêmes armes.

Combien d'armes l'armurier doit-il sortir du coffre pour satisfaire les Princes?

Indice → page 63
Solution → page 80

15. Potion anti-ogre

Doutant malgré tout des aptitudes au combat de ses fils, le Roi les envoie chez le magicien de la Cour pour qu'il leur donne une potion anti-ogre.

Le magicien garde ses potions bien cachées, conscient du danger si elles tombaient entre de mauvaises mains. Dans son laboratoire, des tiroirs secrets, d'un accès difficile, renferment:

1. Quatre fioles de potion anti-ogre.
2. Trois flacons de sirop destructeur de dragons.
3. Deux carafes d'un breuvage qui fait disparaître les méchants sorciers.

Combien de flacons doit-il sortir pour être certain de donner une potion anti-ogre à chacun des fils du Roi?

Indice → page 63
Solution → page 80

16. Bottes de sept lieues

Entre-temps, dans son château, l'ogre découvre que les bottes qu'il a prises au hasard dans son armoire sont des bottes de six lieues. Il les jette dans l'armoire: il a besoin de bottes de sept lieues pour couvrir un plus grand territoire.

Si, dans son armoire sombre, il a quatre bottes de six lieues et huit bottes de sept lieues, combien doit-il en sortir pour être certain d'avoir une paire de bottes de sept lieues?

Indice → page 63
Solution → page 80

Le donjon de l'ogre

Comme les questions de vérité du chapitre 'Mensonges & Martiens' ou les énigmes par élimination de 'Malice Martienne', les casse-tête de ce chapitre constituent des problèmes classiques de logique. Entraînez-vous en résolvant les premières énigmes et poursuivez avec celles qui contiennent des affirmations. Elles commencent par 'Si' et leur solution repose sur la véracité ou non de la partie hypothétique.

Une fois que vous aurez appris à raisonner judicieusement, vous trouverez peut-être que ces énigmes sont des plus divertissantes. Si c'est le cas, allez au chapitre 'Diablerie de génie': vous y serez confronté à plusieurs affirmations conditionnelles - plusieurs 'si' - dans une seule énigme. Elles sont encore plus passionnantes.

17. Capturés!

Les seuls enfants du Roi, Abel, Benjamin et Pauline, accompagnés de Messire Luc, jouaient avec insouciance dans la forêt. L'ogre qui passait par-là les captura facilement. Il les ramena à son donjon et les emprisonna dans quatre cellules voisines.

La cellule où le Prince Abel était enfermé, se trouvait à côté de celle

du Prince Benjamin, mais pas à côté de celle de la Princesse Pauline. Si la cellule de la Princesse Pauline n'est pas à côté de celle de Messire Luc, quelle cellule l'est?

Indice → page 63
Solution → page 81

18. Tir à l'arc

Quelques temps auparavant, dans la même forêt, Abel, Benjamin et Pauline, les enfants du Roi, testaient leurs aptitudes au tir à l'arc avec Messire Luc. Chacun avait le même nombre de flèches au départ, et quand toutes les flèches furent lancées, ils découvrirent que:

1. Messire Luc avait touché plus de fois la cible que la Princesse Pauline.
2. Le Prince Benjamin davantage que Messire Luc.
3. Les flèches de la Princesse Pauline étaient plus efficaces que celles du Prince Abel.

Qui était le meilleur tireur à l'arc du jour?

Indice → page 63
Solution → page 81

19. L'héritier du Roi

Les prisonniers de l'ogre veillèrent toute la nuit dans le donjon, inquiets du sort qui les attendait. Le lendemain matin, l'ogre s'approcha des fils du Roi. "Lequel de vous deux est l'héritier du Roi?" demanda-t-il.

'Je suis Abel, le fils aîné du Roi', répondit le Prince aux cheveux noirs.

'Je suis Benjamin, le deuxième fils du Roi', dit celui avec des cheveux roux.

Si l'un d'entre-eux ment, lequel est-ce?

Indice → page 63
Solution → page 81

20. Têtes à chapeaux

Garder des prisonniers était beaucoup moins drôle que l'ogre l'avait cru. Aussi décida-t-il de s'amuser un peu.

Il amena une grande boîte contenant cinq chapeaux, deux rouges et trois blancs. Il banda les yeux des trois jeunes prisonniers et leur mit un chapeau sur la tête.

"Vous devez deviner la couleur du chapeau sur votre tête, sans utiliser de miroir", dit l'ogre de sa voix menaçante. "Je vais vous enlever le bandeau, l'un après l'autre, et vous laisser tenter de deviner. Si aucun d'entre vous ne trouve la bonne réponse, vous mourrez tous."

Abel, le plus âgé, avait l'habitude d'assumer des responsabilités et dit: "Ne vous inquiétez pas, je vais nous sauver.". Il demanda à l'ogre de lui enlever le bandeau en premier et examina les chapeaux que portaient son frère et sa sœur. Il dut admettre qu'il ne savait pas de quelle couleur était le sien.

Benjamin insista pour être le suivant, certain, lui aussi, de pouvoir sauver tout le monde. Mais après qu'on lui eut enlevé son bandeau, il fut incapable de donner la couleur de son chapeau.

Puis la Princesse Pauline affirma: "Pas besoin d'enlever mon bandeau. Je sais de quelle couleur est le chapeau sur ma tête."

Seront-ils sauvés? Quelle était la couleur du chapeau de la Princesse Pauline?

Indice → page 63
Solution → page 82

La revanche du génie

os ordinateurs contemporains se fondent sur le même système numérique que celui des aborigènes australiens et des pygmées. Il est fort probable qu'à l'origine de notre système numérique, la base fut le deux et non le dix. Dans ce chapitre, les solutions de certains problèmes de poids reposent tantôt sur une échelle de deux, tantôt sur une échelle de trois. Lancées en France au début du 17ème siècle par le mathématicien Claude-Gaspar Bachet, les énigmes sur les poids n'ont cessé, depuis, de passionner les grands mordus de casse-tête.

21. L'or caché

Un jour, l'apprenti d'un riche marchand arabe déboucha une fiole dans laquelle un méchant génie se trouvait emprisonné depuis de nombreuses années. Enfin libre, il survola la boutique du marchand à la recherche de quelque méfait à commettre. Bien sûr, il aurait pu détruire la boutique ou tuer le marchand. Mais il se rendit vite compte que le marchand attachait plus d'importance à son argent qu'à sa vie!

Alors, il prit l'or du marchand et le cacha au fond d'une énorme jarre remplie d'olives. Puis, il amena huit jarres identiques et y plaça des poids de trois kilos. Enfin, il remplit toutes les jarres d'olives et les referma soigneusement.

Lorsque le marchand désespéré découvrit sa perte, le génie lui révéla ce qu'il avait fait et accepta de lui rendre sa fortune si le marchand devinait dans quelle jarre était caché son or. Le génie ne le laissa pas ouvrir les jarres. Il lui permit seulement de les peser. Le problème? Le marchand qui disposait d'une balance à deux plateaux, ne pouvait l'utiliser que trois fois. Comment découvrit-il la jarre qui contenait l'or?

Indice → page 64
Solution → page 83

22. Des paniers, encore des paniers

Le génie n'en avait pas fini de faire des bêtises. Il vit douze paniers fermés: onze contenaient du grain et un du fourrage pour les cochons. Il enleva les étiquettes et mélangea les paniers afin d'empêcher le marchand de retrouver le panier avec le fourrage pour cochons.

Le marchand ne se rendit compte de rien jusqu'à l'arrivée d'un client pressé qui voulait acheter quatre paniers de grains. Si le fourrage à cochons pèse un peu plus lourd que le grain, comment le marchand a-t-il pu éviter, en une seule pesée, d'en donner à son client et être certain qu'il ne vendait que du grain fin?

Indice → page 64
Solution → page 83

23. Nourriture pour cochons

Le client suivant était un fermier qui avait besoin de nourriture pour ses cochons. Dans le groupe des quatre paniers mis sur le côté, combien le marchand dut-il effectuer de pesées pour trouver le panier le plus lourd contenant le fourrage?

Indice → page 64
Solution → page 83

24. Poids de plomb

Comme le marchand avait un problème pour peser les marchandises les plus lourdes, il acheta une barre de plomb de 40 kilos. S'il la coupe en quatre de manière à pouvoir peser des marchandises de 1 à 40 kilos, combien chaque morceau devrait-il peser?

Indice → page 64
Solution → page 83

25. Pièces d'or et d'argent

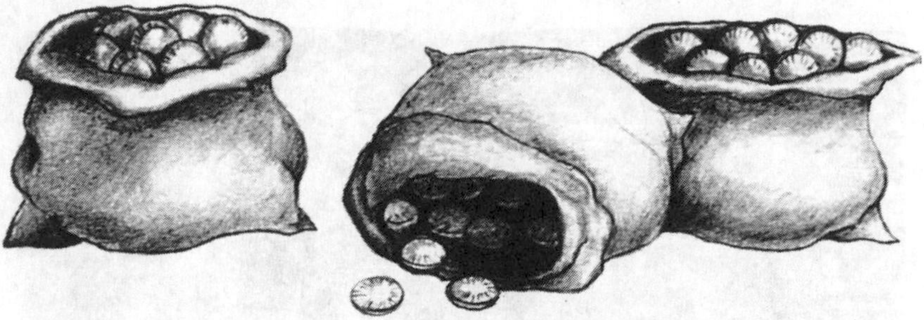

Poursuivant son chemin dans le bazar, le génie découvrit que le marchand cachait dix sacs, contenant chacun dix pièces. L'un des sacs recelait des pièces en argent et les autres, des pièces d'or. Le génie peignit toutes les pièces d'un rouge brillant puis les remit dans leur sac d'origine. Le marchand savait qu'une pièce d'or pesait 10 grammes et une pièce en argent un gramme de moins. En utilisant une balance normale, comment a-t-il pu déterminer, en une seule pesée, lequel des sacs ne contenait pas d'or?

Indice → page 64
Solution → page 84

Diableries de génie

Voici des énigmes logiques parmi les plus compliquées! Vous constaterez rapidement qu'avec deux ou trois affirmations, vous n'arrivez qu'à des conclusions douteuses, et vous aurez le sentiment de ne jamais disposer d'assez d'éléments pour résoudre les problèmes qui contiennent plus d'un 'Si'.

Vous allez devoir organiser votre pensée et enregistrer, avec le plus grand soin, chaque information que vous recueillerez.

Ces énigmes de Génie sont plus difficiles et plus compliquées que celles du chapitre 'Le donjon de l'ogre'. Mieux vaut d'abord vous entraîner à résoudre ces dernières avant de vous attaquer aux diableries du génie.

26. Les quatre frères

Furieux de ne pouvoir tromper le marchand Abou, le génie le transforma en animal, ainsi que ses trois frères. L'un se retrouva en cochon, un autre en âne, un troisième en chameau et le dernier en chèvre.

1. Ahmed ne devint ni un cochon ni une chèvre.
2. Sharif n'était ni un chameau ni un cochon.
3. Si Ahmed n'était pas le chameau, Omar n'était pas le cochon.
4. Abou ne devint ni une chèvre ni un cochon.
5. Omar ne fut transformé ni en chèvre ni en chameau.

Quel animal est devenu chacun des frères?

Indice → page 64
Solution → page 84

27. Animaux et transport

Trois des frères, devenus des animaux, furent chargés de victuailles pour la ville. Ils portaient soit des bidons d'huile soit des jarres de dattes.

1. Si l'âne porte les dattes, la chèvre porte l'huile.
2. Si l'âne porte l'huile, le chameau porte les dattes.
3. Si la chèvre porte les dattes, le chameau porte l'huile.

Quelle charge peut-on attribuer à chacun, et à qui? Qui porte toujours la même chose?

Indice → page 65
Solution → page 85

28. Le nombre magique

Après dix années, les femmes d'Abou et de ses frères en appelèrent au génie.

"Génie, nous vous supplions", dit la femme de Sharif, "nos maris ont assez souffert. Et nos enfants ont besoin de leur père."

Le génie accepta de rendre aux frères leur forme humaine, si les femmes devinaient le nombre magique qui remplissait les conditions que voici:

A. Si le nombre magique est un multiple de 2, alors c'est un nombre pouvant aller de 50 à 59.
B. S'il n'est pas un multiple de 3, il va de 60 à 69.
C. Si le nombre magique n'est pas un multiple de 4, il va de 70 à 79.

Quel était ce nombre magique?

Indice → page 65
Solution → page 86

Le dragon montagne

’essayez pas de résoudre les pro-
blèmes de cruches d’eau en une
seule fois, vous risqueriez de vous
noyer... Vous l’aurez compris, les énigmes de ce
chapitre portent sur les mesures de capacité.

A vous de découvrir le nombre de verres, de tasses
ou de litres contenus dans des récipients qui n’ont
jamais la bonne contenance. Certains de ces casse-
tête datent du Moyen-Age et, depuis des siècles, ils
continuent à captiver tous ceux qui tentent de les
résoudre. Car personne n’a encore trouver une formule applicable à toutes les combinaisons.

29. Seth rencontre le dragon

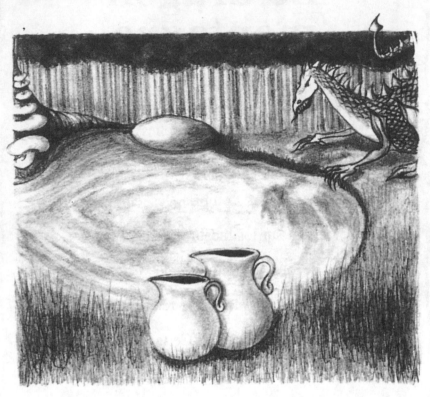

Voyageant jusqu'à un lointain lac de montagne pour goûter son eau, la Princesse Fleur et sa suivante furent capturées par le terrible dragon Montagne. Lorsque le Roi apprit que sa fille était prisonnière du dragon, il offrit la moitié de ses biens et la Princesse en mariage à quiconque la sauverait et affronterait le dragon.

L'un après l'autre, les chevaliers relevèrent le défi mais tous échouèrent.

Un jour, Seth, un jeune paysan, décida de faire face au monstre. "Mon village a faim et soif", dit-il. "Nous avons besoin de l'eau que vous gardez."

"Cinq fois cinq chevaliers ont échoué dans leur tentative de résoudre mes cinq énigmes. Maintenant, ils sont mes prisonniers", répondit le dragon Montagne en crachant des flammes. "Serais-tu aussi fou qu'eux?"

"Je ne suis qu'un paysan ignorant, pas un chevalier, mais je vais essayer", dit Seth.

"D'abord, commence par remplir ces cruches de quatre tasses d'eau de ce lac."

Le dragon souleva sa queue et deux cruches apparurent. Seth les attrapa. Aucune ne pouvait contenir exactement quatre tasses: l'une avait une capacité de trois tasses et l'autre de cinq. Toutefois, Seth travaillait à la ferme.

Comment mesura-t-il exactement quatre tasses, réussissant ainsi la première épreuve?

Indice → page 65

Solution → page 87

30. La deuxième épreuve

"Ça, c'était juste le premier défi", siffla le dragon en colère.

D'un coup de queue, il assécha le lac et fit disparaître les deux cruches. Brusquement, trois nouvelles cruches apparurent, l'une de 5 tasses, la deuxième de 7 tasses et la troisième de 12 tasses. Le dragon éternua et la cruche de 12 tasses se remplit d'eau. Celles de 5 et de 7 tasses restèrent vides.

"Répartis l'eau de la cruche de 12 tasses en deux parts égales!", commanda-t-il.

Comment Seth fit-il?

Indice → page 65

Solution → page 88

31. Walter le malicieux

Ce que tout le monde ignorait, c'est que le dragon Montagne était en réalité Walter, le vilain apprenti sorcier. En tant que sorcier, il était très doué, trompant tout le monde sous son apparence de dragon. Mais Walter ne réussissait qu'à faire apparaître des récipients et les seules énigmes qu'il connaissait portaient sur la mesure de l'eau. Il n'avait aucun pouvoir sur celui ou celle qui résolvait ses énigmes mais continua désespérément à faire semblant.

Walter fit apparaître trois jarres. L'une contenait dix litres d'eau, les deux autres étaient vides. La pemière pouvait contenir quatre litres et la deuxième, trois litres.

"Donne-moi cinq litres d'eau, en cinq étapes seulement", exigea Walter de Seth.

Indice → page 66
Solution → page 89

32. Triple menace

Walter le malicieux plaça alors Seth face à quatre jarres. La plus grande contenait neuf litres d'eau. Les trois jarres vides pouvaient contenir cinq, quatre et deux litres d'eau. "Cette fois, demanda Walter, comment répartiras-tu neuf litres en trois parts égales?" En combien d'étapes Seth parvint-il à résoudre cette énigme?

Indice → page 66
Solution → page 90

33. Goutte à goutte

En grognant, Walter le malicieux (en dragon Montagne) matérialisa deux fioles tellement petites qu'elles tenaient toutes deux sur le doigt de Seth. Une fiole pouvait contenir cinq gouttes de liquide et l'autre sept.

"Quel est le nombre minimum d'étapes qu'il te faudra pour me donner trois gouttes d'eau, la même chose pour quatre gouttes d'eau?" demanda le dragon.

"Mais tu me poses deux énigmes en même temps !" protesta Seth.

Après plusieurs heures, Seth trouva les réponses. A ce moment, tout le monde découvrit que le dragon Montagne n'était que Walter le malicieux. Il ne put que délivrer la Princesse Fleur, sa suivante, ses pages et les 49 chevaliers qui avaient tenté de la sauver.

Comment Seth réussit-il à résoudre cette dernière énigme?

Indice ➝ page 66
Solution ➝ page 91

Les maîtres des probabilités

Comment déterminer ses chances de gagner? Grâce au calcul des probabilités! Toutes les énigmes de ce chapitre entrent dans le domaine passionnant des probabilités. Nous devons cette théorie au mathématicien Blaise Pascal qui la mit au point, au 17ème siècle, avec son ami Pierre de Fermat en cherchant à établir comment un jeu de hasard se serait probablement terminé si les deux joueurs avaient mené la partie jusqu'au bout.

Depuis, le calcul des probabilités a envahi tous les domaines et est aujourd'hui à la base de nombreuses applications: sondages d'opinion, fixation des primes d'assurances, recherches scientifiques, courses de chevaux...

Et il y a fort à parier que vous ne vous priverez pas d'user de la formule une fois que vous saurez l'appliquer!

34. Le puits de science

Une fois par an, venus de divers royaumes, les apprentis magiciens et magiciennes, sorciers et sorcières, participent à une conférence sur les nouveaux présages et potions.

Cette année, ils se retrouvent dans le royaume de Merlin, le grand magicien. Sur les trente apprentis qu'il a invité, seuls deux sont absents, blessés en luttant contre une invasion soudaine de dragons.

A leur arrivée, Merlin leur donne une pièce d'or à lancer dans le puits de science. Si la pièce tombe du même côté que la pièce précédente (pile ou face), l'apprenti se verra doter d'un nouveau pouvoir. Merlin le magicien sera le premier à lancer une pièce d'or. Quelle est la probabilité qu'elle tombe du côté face?

Indice → page 66
Solution → page 92

35. Evelyne et le puits

La première arrivée est Evelyne, une apprentie de la Dame du Lac. Quelle est la probabilité qu'Evelyne et Merlin lancent leur pièce du côté face?

Indice → page 66
Solution → page 92

36. Et trois avec Perceval

Perceval, l'assistant du magicien des forêts, est le suivant. Quelle est la probabilité que les trois pièces tombent du côté face?

Indice → page 67
Solution → page 93

37. Quatre pièces dans le puits

Vivienne, une élève du sorcier des bois, lance la quatrième pièce. Quelle est la probabilité que les quatre pièces soient toutes du côté face?

Indice → page 67
Solution → page 93

38. Le lancer d'Oberon

Supposons que la pièce de Vivienne tombe du côté pile. Quelles sont les chances que la pièce d'Oberon, lancée juste après, tombe du côté pile?

Indice → page 67
Solution → page 94

39. Combien de magiciens plus puissants?

Combien d'apprentis sur les vingt-huit ont-ils une chance d'égaler le lancer précédent et d'acquérir ainsi le pouvoir supplémentaire que Merlin leur a promis?

Indice → page 67
Solution → page 94

40. Sorciers aveugles

Merlin choisit quatre apprentis sorciers et leur demande de se tenir chacun à un angle de l'immense salle de bal du château. Il leur bande les yeux et les mène jusqu'au centre de la pièce. Puis, il les fait tourner plusieurs fois sur eux-mêmes et leur demande de rejoindre l'angle où ils étaient au départ.

Si chacun d'entre-eux atteint un angle, quelle est la probabilité qu'ils rejoignent le bon angle?

Indice → page 67
Solution → page 94

41. Magie sans magie

Merlin demande à deux apprentis sorciers de le divertir par des tours avec un simple jeu de cartes. Malheureusement, aucun n'a assez d'adresse pour réussir à coup sûr de bons tours et sont à la merci des lois du hasard.

Si chacun tire une carte d'un jeu de 52 cartes, lequel a le plus de chances d'être un bon magicien: Lorelei, qui promet de sortir un des quatres as ou Urth, qui affirme que sa première carte sera un des treize cœurs?

Indice → page 67
Solution → page 94

42. Un autre tour

Lorelei aura-t-elle plus de chance de sortir deux as si elle remet le premier qu'elle a tiré dans le paquet ou si elle le met à part?

Indice → page 67
Solution → page 94

43. Des cœurs pour Urth

Urth aura-t-il plus de chance de sortir deux cœurs s'il remet le premier dans le paquet ou s'il le laisse à part?

Indice → page 67
Solution → page 94

Pouvoirs magiques

Que va-t-il se passer maintenant?

Dans ce dernier chapitre, forces suprana-turelles et magie sont étroitement liées. Observez attentivement les différentes séquences d'images et, en fonction de ce qui s'est déjà produit, vous pourrez prédire la suite logique des événements, sans besoin d'indice ni de beaucoup de mots.

44. Locomotion Martienne

Les scientifiques Raphaël et Clovis Mutin réunissent les explorateurs pour les préparer aux espèces qu'ils vont rencontrer dans l'espace. Ils leur montrent des photos de Martiens et de diverses choses puis demandent aux aventuriers, et à nous aussi, bien sûr, de pressentir la suite des événements.

Voici l'évolution du déplacement d'un Martien:

Qu'arrive-t-il ensuite? Choisissez une solution.

A   B   C   D

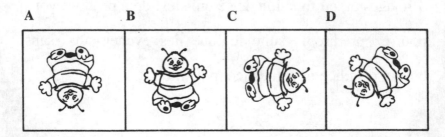

Solution → page 94

45. Les cruches du dragon

Quand le dragon a soulevé sa queue, quatre cruches sont apparues au lieu de cinq.

Quelle est la cruche manquante?

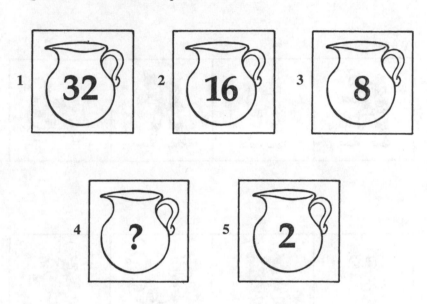

Choisissez-en une:

Solution → page 94

46. Le coup de baguette de Merlin

Merlin donne un coup de baguette magique et de mystérieux événements se produisent:

Avant

Après

Qu'arrive-t-il par la suite (de A à D)?

A

B

C

D

Solution → page 94

47. L'epée manquante

Des ensembles d'épées ornent les murs du laboratoire secret du Magicien Zorn. Chaque ensemble est doté de pouvoirs magiques différents. Un jour, à la grande surprise de Zorn, un sorcier ennemi parvient à lui dérober ses armes les plus puissantes.

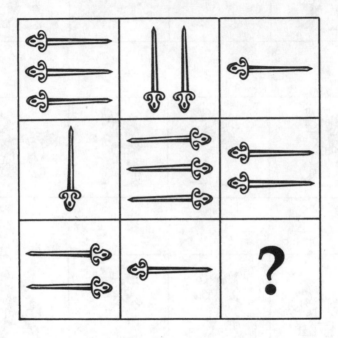

Quel ensemble d'épées manque au tableau?

A   B   C   D

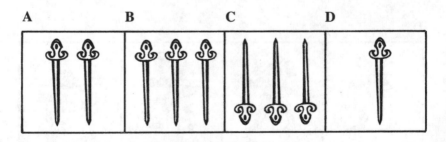

Solution → page 95

48. Le génie et les pièces

Combien de pièces y avait-il dans le sac que le génie a caché?

1 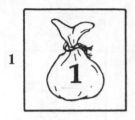 2  3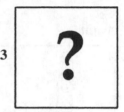

4  5

Choisissez-en un:

A  B  C  D

Solution → page 95

49. Le pouvoir du génie

Le génie a un jour de liberté. Il en profite pour prendre sa revanche sur les hommes et sur les animaux. Que leur fait-il?

Avant

Après

Avant

Après

Voici la situation à résoudre:

Que se passe-t-il ensuite? Choisissez de A à D.

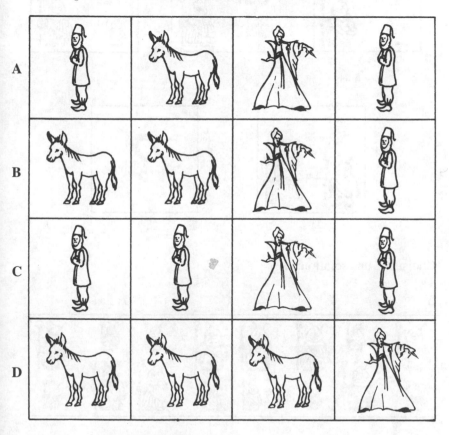

Solution → page 95

50. Danse rituelle Martienne

Avant chaque réunion, les membres de certaines tribus martiennes exécutent une danse rituelle. Si la danse se poursuit, quel sera le prochain pas?

Choisissez une solution:

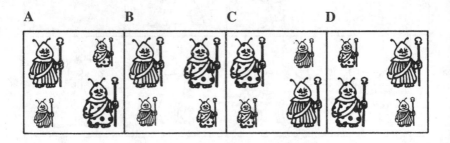

Solution → page 95

51. Pirouettes de génie

Pour s'amuser, le génie fait tourner différents objets.

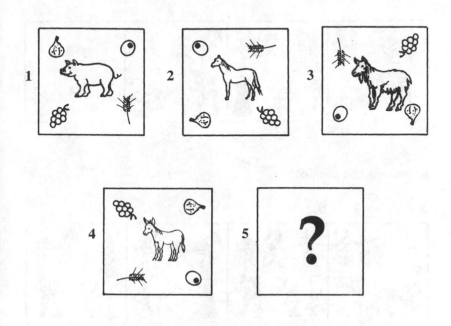

Que se passe-t-il ensuite? Choisissez de A à D.

A   B   C   D

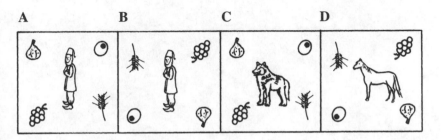

Solution ➜ page 95

52. Manège médiéval

Un puissant magicien a créé une illusion spectaculaire pour divertir ses invités. Les images qu'il fait apparaître tournent en rond.

Qu'arrive-t-il ensuite?

Choisissez une solution:

A   B   C   D

Solution ➜ page 95

1. **Gouzi-gouzi Martien:** Mari doit poser au Martien une question à laquelle il ne pourra répondre que par 'oui'.

2. **Ami ou ennemi?:** Qu'il dise la vérité ou non, le Martien rayé donnera la même réponse.

3. **A la recherche de Doman:** Découvrez lequel appartient à la tribu des Utis, qui disent toujours la vérité.

4. **Mystère Martien:** Chaque Grundi n'a fait qu'une seule affirmation fausse. Découvrez les affirmations qui pourraient être vraies, ainsi que les contradictions.

5. **Les yenyens ne mangent pas:** Essayez de faire les voyages avec trois pièces de monnaie différentes. Certaines devront peut-être faire plusieurs voyages.

6. **La gravité sur Mars:** Utilisez à nouveau des pièces ou deux paires d'allumettes, dont une coupée en deux, pour simuler les traversées.

7. **Chute de pierres:** Effectuez les traversées avec trois pièces représentant les Grundis et trois autres pour les Terriens. N'oubliez pas qu'il ne peut jamais y avoir plus de Grundis que de Terriens d'un côté ou de l'autre de la rivière.

8. **Nageoires et plumes:** Utilisez trois types de pièces (deux de chaque) pour représenter chaque tribu. Placez une pièce de chaque type côté pile: elles représentent les Martiens à plumes. Les autres pièces, côté face, représentent les Martiens à nageoires. Faites-leur traverser le ravin mais n'oubliez jamais qu'un côté face ne peut jamais rester seul avec un côté pile différent.

9. Equipes aériennes: A l'aide d'une grille, vous pouvez procéder par élimination pour déterminer qui n'est pas Uti et, par conséquent, qui l'est.

	Uti	Grundi	Yomi
Rir			
Vel			
Pyi			
Teta			
Wora			
Xera			

10. L'equipage de l'astronef: Cette énigme classique est beaucoup moins difficile qu'il n'y paraît. Notez que les astronautes ont des prénoms et pas les Martiens. Faites deux grilles.

	Uti	Grundi	Yomi
Jones			
Robinson			
Smith			

	Jones	Robinson	Smith
Ingénieur			
Biochimiste			
Pilote			

11. Questions de plumes: Trois grilles vous seront utiles.

	Uti	Grundi	Yomi	Rafi
Aken				
Bal				
Mun				
Wora				

	Rouge	Vert	Bleu	Marron
Aken				
Bal				
Mun				
Wora				

	Rouge	Vert	Bleu	Marron
Uti				
Grundi				
Yomi				
Rafi				

12. L'ami d'Aken: Dessinez deux tables avec huit chaises. Indiquez les noms des invités sur les chaises d'une table et leurs caractéristiques sur celles de l'autre.

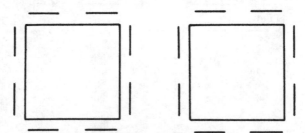

13. Dans le noir: Ne soyez pas perturbé par le nombre de bottes: il n'y a que deux types de bottes.

14. Jeu d'epée: Ignorez le nombre d'épées et concentrez-vous sur le nombre de types d'armes.

15. Potion anti-ogre: Le type de potion que les Princes reçoivent est important: ils veulent combattre un ogre, non un dragon ou un sorcier.

16. Bottes de sept lieues: Voyez l'énigme 15 !

17. Capturés!: Dessinez les cellules et les personnes pour éliminer les contradictions dans les affirmations.

18. Tir à l'arc: Considérez une affirmation à la fois et faites les comparaisons.

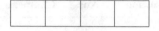

19. L'héritier du Roi: Considérez les combinaisons vrai/faux (V/F) possibles.

	1	2	3	4
Cheveux noirs	W	W	O	O
Cheveux roux	W	O	W	O

20. Têtes à chapeaux: Puisqu'il n'y a que deux chapeaux rouges, Benjamin et Pauline ne peuvent pas les porter tous les deux, sinon Abel aurait su qu'il portait un chapeau blanc. Donc, soit Benjamin et Pauline portent tous les deux des chapeaux blancs, soit chacun une couleur différente.

21. L'or caché: Divisez les jarres en groupes de trois.

22. Des paniers, encore des paniers: Divisez les paniers en groupes de quatre.

23. Nourriture pour cochons: Etudiez comment diviser les quatre paniers pour les peser.

24. Poids de plomb: Au lieu d'utiliser le système décimal ou binaire, basez-vous sur le trois. Et n'oubliez pas que des poids peuvent être placés dans les deux plateaux de la balance.

25. Pièces d'or et d'argent: Alignez les sacs de pièces et donnez-leur un chiffre de 1 à 10.

26. Les quatre frères: Dessinez une grille avec les différentes possibilités.

	Cochon	Ane	Chameau	Chèvre
Ahmed				
Sharif				
Abou				
Omar				

La condition qui apparaît dans l'affirmation 3 offre trois possibilités (une si l'hypothèse est vraie et deux si l'hypothèse est fausse):
1. Ahmed n'est pas un chameau et Omar n'est pas un cochon.
2. Ahmed est un chameau et Omar n'est pas un cochon.
3. Ahmed est un chameau et Omar est un cochon.

27. Animaux et transport: S'il y a trois animaux, il existe huit possibilités. Faites un tableau reprenant chacune d'entre elles:

	A	B	C	D	E	F	G	H
Ane	h	h	h	h	d	d	d	d
Chèvre	h	h	d	d	h	h	d	d
Chameau	h	d	h	d	h	d	h	d

(h=huile, d=dattes)

Déterminez les incompatibilités avec les affirmations conditionnelles.

28. Le nombre magique: Faites un tableau avec tous les chiffres possibles:

50	51	52	53	54	55	56	57	58	59
60	61	62	63	64	65	66	67	68	69
70	71	72	73	74	75	76	77	78	79

Barrez les chiffres qui contredisent les affirmations.

29. Seth rencontre le dragon: Alignez les cruches, imaginez un lac puis créez votre schéma:

Lac	Cruche de 5 tasses	Cruche de 3 tasses

Commencez par remplir chaque cruche, verser l'eau de l'une à l'autre, puis dans le lac.

30. La deuxième épreuve: Cette fois, pas de lac mais trois cruches à aligner.

Cruche de 12 tasses	Cruche de 7 tasses	Cruche de 5 tasses

31. **Walter le malicieux:** Jarres, tasses ou verres, l'approche est identique. Alignez les récipients et versez l'eau de l'un dans l'autre. Mais quelle méthode fonctionne en 5 étapes? Verser d'abord dans la jarre de 4 litres ou dans celle de 3 litres?

A.	Jarre de 10 l	Jarre de 4 l	Jarre de 3 l
	10	0	0
1.	6	4	0

etc.

Ou:

B.	Jarre de 10 l	Jarre de 4 l	Jarre de 3 l
	10	0	0
1.	7	0	3

etc.

32. **Triple menace**

Alignez les quatre jarres. Combien de litres devrait contenir chaque jarre si l'eau était répartie en trois?

	Jarre de 9 l	Jarre de 5 l	Jarre de 4 l	Jarre de 2 l
	9	0	0	0
1.	4	5	0	0

etc.

33. **Goutte à goutte:** Détermine quelle fiole remplir en premier, la plus petite ou la plus grande, pour obtenir le nombre de gouttes en un minimum d'étapes.

34. **Le puits de science:** En supposant que la pièce ne reste pas en équilibre, combien de positions peut-elle prendre?

35. **Evelyne et le puits:** Etablissez les possibilités.

36. Et trois avec Perceval: Combien peut-il y avoir de combinaisons? Non, pas six!

37. Quatre pièces dans le puits: Vous pouvez encore établir la liste des possibilités, mais il est plus facile de recourir à la formule.

38. Le lancer d'Oberon: Ne tombez pas dans le piège! La pièce de Vivienne est déjà du côté pile.

39. Combien de magiciens plus puissants? A chaque lancer, il y a une chance sur deux d'égaler le lancer précédent.

40. Sorciers aveugles: Combien y a-t-il de possibilités pour chacun d'entre-eux? Vous vous souvenez de la formule ? (Voir solution Evelyne et le puits, page 92).

41. Magie sans magie: Combien existe-t-il de possibilités de tirer un as? Et de sortir une carte de cœur? Quelle est la formule?

42. Un autre tour: Comparez les probabilités dans chaque cas, en utilisant la formule. (Voir page $$).

43. Des cœurs pour Urth: A nouveau, comparez les probabilités en utilisant la formule.

Pas d'indices pour les énigmes suivantes!

1. Gouzi-gouzi Martien: Mari se frotte le ventre et demande: "Avez-vous fait ceci?" Tout ce que le Martien fera voudra forcément dire 'oui'.

2. Ami ou ennemi?: Le Martien tacheté. Même s'il n'est pas un Véridique, le Martien rayé dira 'oui'. Pourquoi? S'il est le Véridique, il répondra la vérité et dira oui. S'il ment, il mentira et dira oui. Par conséquent, si le Martien tacheté a dit que le Martien rayé dirait oui, il doit être le Véridique et le Martien rayé doit être le Menteur.

3. A la recherche de Doman: C'est un Uti.
1. Aken dit qu'il n'est pas un Uti. S'il était un Uti, il ne pourrait pas dire qu'il n'en est pas un car les Utis disent toujours la vérité. Donc il n'est pas un Uti. S'il était un Yomi, il ne pourrait pas dire qu'il n'est pas un Uti puisque cela pourrait être vrai et que les Yomis mentent toujours. Donc, il n'est pas un Yomi. Par conséquent, Aken est un Grundi qui dit parfois des mensonges et parfois la vérité.
2. Bal dit qu'il n'est pas un Yomi. Mais est-il un Yomi menteur ou un Uti qui dit la vérité? Nous l'ignorons.
3. Cwos dit qu'il n'est pas un Grundi. Puisque les trois Martiens appartiennent à une tribu différente et qu'Aken est le seul Grundi parmi eux, Cwos doit dire la vérité. Donc Cwos est un Uti.
4. Il s'ensuit que Bal doit être un Yomi, puisqu'il a menti en niant qu'il en était un.
5. Puisque Cwos dit la vérité, Doman doit être un Uti car Cwos l'a dit.

4. Mystère Martien: Uk.
1. Tset dit (dans sa première affirmation) qu'il n'a pas lancé la pierre et (dans sa troisième affirmation) que Zum ment en disant que c'est lui, Tset, qui l'a fait. Puisqu'une seule des trois affirmations peut être fausse, ces deux affirmations doivent être exactes. Donc, sa seconde affirmation selon laquelle c'est Yan qui l'a fait doit être un mensonge. Ainsi, nous savons que Yan et Tset sont innocents.
2. Zum dit que c'est Tset qui l'a fait et donc nous savons qu'il s'agit-là du mensonge de Zum. L'affirmation de Zum selon laquelle il est innocent est donc la vraie.

   Qui reste-t-il comme coupable possible? Pala et Uk.
3. Puisque Tset est innocent, l'affirmation de Pala qui dit que Tset est le coupable est un mensonge. Donc, elle dit la vérité en affirmant

qu'elle est innocente et qu'elle n'a jamais vu Yan auparavant.

4. Donc Yan ment quand il affirme que lui et Pala sont de vieux amis. Par contre, il dit la vérité quand il affirme qu'il est innocent et que Uk est le coupable.

5. Les yenyens ne mangent pas

1. Mari emmène le farfel au vaisseau et le laisse-là.
2. Il revient seul.
3. Il transporte le yenyen et le laisse sur place.
4. Il revient avec le farfel.
5. Il transporte le garbel et le laisse avec le yenyen.
6. Il revient seul.
7. Il transporte le farfel.

6. La gravité sur Mars

1. Deux Martiens traversent.
2. Un Martien revient.
3. Un Terrien traverse.
4. L'autre Martien revient.
5. Deux Martiens traversent.
6. Un Martien revient.
7. Le deuxième Terrien traverse.
8. Le deuxième Martien revient.
9. Les deux Martiens traversent.

7. Chute de pierres

1. Un Terrien traverse avec un Grundi (laissant deux Terriens et deux Grundis du côté ouest).
2. Le Terrien revient (laissant un Grundi du côté est).
3. Deux Grundis traversent (laissant trois Terriens à l'ouest).
4. Un Grundi revient (laissant deux Grundis à l'est).
5. Deux Terriens traversent (laissant un Grundi et un Terrien à l'ouest).
6. Un Grundi et un Terrien reviennent (laissant un Grundi et un Terrien à l'est).
7. Deux Terriens traversent (laissant deux Grundis à l'ouest).
8. Un Grundi revient (laissant trois Terriens à l'est).
9. Deux Grundis traversent (laissant un Grundi à l'ouest).

10. Un Grundi revient (laissant trois Terriens et un Grundi à l'est).

11. Deux Grundis traversent (personne n'est laissé en danger).

8. Nageoires et plumes

1. Les Utis à nageoires et à plumes traversent.
2. L'Uti à nageoire revient.
3. Les Grundis à nageoires et à plumes traversent.
4. L'Uti à plumes revient.
5. Les Yomis à nageoires et à plumes traversent.
6. Le Grundi à nageoires revient.
7. Les Utis à nageoires et à plumes traversent.
8. L'Uti à nageoires revient.
9. L'Uti et le Grundi à nageoires traversent.

9. Equipes aériennes: Wora et Pyi.

1. A partir de l'affirmation 6, on peut supposer que Xera et Rir proviennent de tribus différentes sinon ils se connaîtraient en étant dans la même équipe.
2. L'affirmation 7 nous apprend que Xera est une Yomi.
3. D'où, ni Rir, issu d'une autre tribu, ni Pyi, à qui elle va rendre visite, ne viennent du territoire Yomi.
4. Puisque chaque équipe comprend un mâle, Vel, le seul qui reste, doit être le mâle de la tribu des Yomis.

	Uti	Grundi	Yomi
Rir			N
Vel	N	N	O
Pyi			N
Teta			
Wora			
Xera	N	N	O

5. Puisque Xera est une Yomi, ce sont soit Teta soit Wora qui sont les femelles de l'équipe des Utis.

6. Mais, selon les affirmations 5 et 8, nous savons que la patrie de Teta est le territoire des Grundis.
7. Donc, Wora doit être l'Uti.

	Uti	Grundi	Yomi
Rir			N
Vel	N	N	O
Pyi			N
Teta	N	O	N
Wora	O	N	N
Xera	N	N	O

8. L'affirmation 8 nous apprend également que Pyi admire Teta et son équipier. Il ne peut donc être lui-même son équipier, ni un Grundi.

	Uti	Grundi	Yomi
Rir			N
Vel	N	N	O
Pyi	O	N	N
Teta	N	O	N
Wora	O	N	N
Xera	N	N	O

Alors, Pyi doit être dans l'équipe des Utis avec Wora.
Wora et Pyi sont les gagnants.

10. L'equipage de l'astronef: Jean Robin.
1. Dans l'affirmation 1, nous apprenons que Robin est un Yomi.
2. L'affirmation 2 nous informe que Bar ne parle que le martien, et l'affirmation 3 nous apprend que les Utis sont des linguistes. Nous en déduisons donc que Bar n'est pas un Uti.

3. Puisque Robin est un Yomi et que Bar ne peut parler autre chose que le Martien, il s'ensuit que le Uti qui sert d'interprète doit être Joly.

	Uti	Grundi	Yomi
Bar	N		N
Robin	N	N	O
Joly	O	N	N

4. Nous pouvons aussi déduire de l'affirmation 4 que le nom du biochimiste ne peut être Joly puisque Joly, l'interprète, admire le Martien qui porte le même nom que le biochimiste. Le nom du biochimiste doit être soit Robin soit Bar.
5. Mais nous apprenons par l'affirmation 5 que le nom du biochimiste est le même que celui du Grundi. C'est donc Bar.

	Bar	Robin	Joly
Ingénieur	N		
Biochimiste	O	N	N
Pilote	N		

6. Dans la dernière affirmation, nous apprenons que Jean Robin bat l'ingénieur aux échecs. Ainsi, Jean Robin n'est ni le biochimiste, qui s'appelle Bar, ni l'ingénieur qu'il bat.

	Bar	Robin	Joly
Ingénieur	N	N	
Biochimiste	O	N	N
Pilote	N		

Jean Robin doit être le pilote.

11. Question de plumes: Mun, le Rafi.

1. L'affirmation 1 nous dit que l'Uti a pris son petit déjeuner avec Mun. Donc, Mun ne peut être le Uti.
2. L'affirmation 2 dit que Bal et le Yomi discutent. D'où, Bal n'est pas le Yomi.

	Uti	Grundi	Yomi	Rafi
Aken				
Bal			N	
Mun	N			
Wora				

3. De l'affirmation 2, nous déduisons que Bal n'a pas de plumes bleues ni de plumes marrons puisque Bal et le Yomi se sont bagarrés avec eux.

	Rouge	Vert	Bleu	Marron
Aken				
Bal			N	N
Mun				
Wora				

4. A partir de la même affirmation, nous savons que le Yomi n'a pas de plumes bleues ni marrons.

	Rouge	Vert	Bleu	Marron
Uti				
Grundi				
Yomi			N	N
Rafi				

5. L'affirmation 3 nous apprend que Wora n'a pas de plumes marrons, puisque Wora et le Rafi ont soutenu ce diplomate dans son argumentation.

	Rouge	Vert	Bleu	Marron
Aken				
Bal			N	N
Mun				
Wora				N

6. La même affirmation nous dit aussi que le Rafi n'est pas le Martien aux plumes marrons.

	Rouge	Vert	Bleu	Marron
Uti				
Grundi				
Yomi			N	N
Rafi				N

7. De là, nous savons aussi que Wora n'est pas la Grundi car elle n'est pas d'accord avec elle,...

	Uti	Grundi	Yomi	Rafi
Aken				
Bal			N	
Mun	N			
Wora		N		

8. ... Et que le Grundi a des plumes rouges.

	Rouge	Vert	Bleu	Marron
Uti	N			
Grundi	O			
Yomi	N		N	N
Rafi	N			N

9. Il semble évident que le Yomi doit avoir des plumes vertes puisque les autres possibilités ont été éliminées.

10. Selon le même raisonnement, le Rafi doit avoir des plumes bleues. Et le Uti est donc forcément le Martien aux plumes marrons.

	Rouge	Vert	Bleu	Marron
Uti	N	N	N	
Grundi	O	N	N	N
Yomi	N	O	N	N
Rafi	N	N	O	N

Puisque nous connaissons la couleur des plumes de chaque tribu, déterminons les noms des participants.

11. Comme Bal a discuté avec le Yomi, elle pourrait être une Uti, une Grundi ou une Rafi. Mais elle s'est bagarrée avec le Martien aux plumes bleues, le Rafi, et le Martien aux plumes marrons, le Uti. Bal est donc la Grundi aux plumes rouges.

	Uti	Grundi	Yomi	Rafi
Aken				
Bal	N	O	N	N
Mun	N			
Wora		N	O	N

12. Même avant de savoir que Bal a des plumes rouges, nous savions déjà, par l'affirmation 3, que Wora n'était pas la Grundi et qu'elle et le Rafi admirent le Martien aux plumes marrons. Donc, Wora n'est ni Uti, ni Rafi. Elle est donc la Yomi aux plumes vertes.

	Uti	Grundi	Yomi	Rafi
Aken				
Bal	N	O	N	N
Mun	N			
Wora		N	O	N

	Rouge	Vert	Bleu	Marron
Uti	N	N	N	
Grundi	O	N	N	N
Yomi	N	O	N	N
Rafi	N	N	O	N

13. Et Mun est donc le Rafi aux plumes bleues.

12. L'ami d'Aken: C'est Ridel qui est l'ami d'Aken.

1. L'ami d'Aken n'est pas Mari qui, comme nous l'apprend l'affirmation 1, est en face de lui.

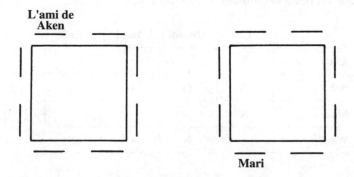

L'ami de Aken

Mari

2. L'ami ne peut être Wora qui est assise entre le génie des maths et l'ami d'Aken (affirmation 2) et en face du grand (affirmation 3).

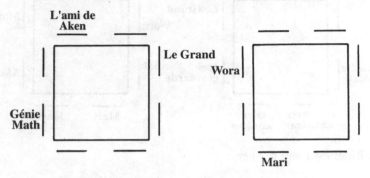

3. L'ami d'Aken ne peut être Aken, évidemment. Selon l'affirmation 3, il est assis à la gauche du grand.
4. Mun, décrit par l'affirmation 4, est le grand qui, selon l'affirmation 3, est assis en face de Wora et à la droite d'Aken.
5. Selon l'affirmation 4, ce n'est pas Joly (il n'a pas d'ami dans le groupe) qui est assis à la droite de Mun.

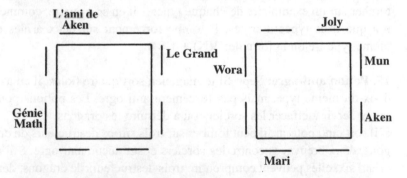

6. L'affirmation 5 nous apprend que celui qui porte des plumes jaunes est assis entre Mun et le polyglote, en face de Bal. Par conséquent, celui qui porte des plumes jaunes est Aken. Et Bal est le génie des maths et non l'ami d'Aken.
7. Qui reste-t-il ? Seuls Bar et Ridel peuvent être les amis d'Aken. D'après l'affirmation 6, Bar est assis à la droite du collectionneur de pierres, en face du pilote qui se trouve à côté de Ridel. Toutefois, l'ami d'Aken est en face de Mari. Donc, Bar ne peut être l'ami d'Aken.

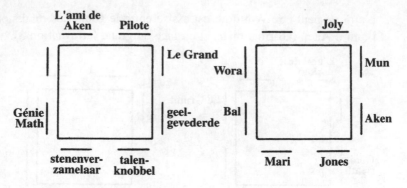

8. Ridel est l'ami d'Aken.

13. Dans le noir: Trois. Si l'ogre ne sort que deux bottes, il pourrait bien porter une botte de six lieues et une botte de sept lieues. Il en sort trois car deux sur les trois seront forcément du même type. La formule: N + 1 (N représente le nombre de types). 2 + 1 = 3.

14. Jeu d'epée: Quatre. A nouveau la formule N + 1 (N représente les types d'armes anti-ogre). Si l'armurier en sort deux ou trois, il peut tomber sur un exemplaire de chaque type. S'il en sort quatre, comme il n'a que trois types d'armes, il tombe forcément sur deux armes du même type, selon la formule: 3(N) + 1 = 4.

15. Potion anti-ogre: Sept. Si le magicien sort quatre fioles, il en aura deux du même type, mais pas forcément anti-ogre. Les potions pourraient servir à effacer les sorciers ou à détruire les dragons.
S'il sort cinq potions, il peut tomber sur trois sirops destructeurs de dragons, deux breuvages contre les sorciers et sur aucun anti-ogre. S'il en prend six, elles peuvent comprendre trois destructeurs de dragons, deux effaceurs de sorciers et un anti-ogre. S'il en prend sept, il est certain d'avoir deux potions anti-ogre, puisque seules cinq autres potions ne le sont pas.

16. Bottes de sept lieues: Six. Puisqu'il n'a que quatre bottes de six lieues, s'il en sort six, il aura au moins une paire de bottes de sept lieues.

17. Capturés: Le Prince Benjamin. Messire Luc a touché plus de fois sa cible que la Princesse Pauline (aff. 1), et le Prince Benjamin a fait mieux que Messire Luc (aff. 2). Le Prince Benjamin a donc obtenu de meilleurs résultats qu'eux. En outre, nous savons que la Princesse Pauline a plus atteint sa cible que le Prince Abel (aff. 3). Conclusion: le Prince Benjamin a fait mieux que tous les autres.

18. Tir à l'arc: Le Prince Abel.

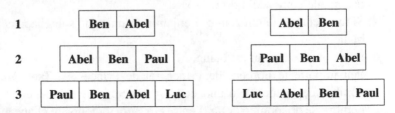

1	Ben	Abel				Abel	Ben		
2	Abel	Ben	Paul			Paul	Ben	Abel	
3	Paul	Ben	Abel	Luc		Luc	Abel	Ben	Paul

19. L'héritier du Roi: Ils ont menti tous les deux.
La réponse est évidente et se trouve dans l'énigme. La solution que nous proposons n'est pas nécessaire. Elle est présentée en tant qu'introduction à une méthode utile pour résoudre des énigmes plus difficiles.

	1	2	3	4
Cheveux noirs	V	V	F	F
Cheveux roux	W	F	V	F

1. La première possibilité suppose que les deux Princes disent la vérité. Mais on nous a dit que l'un des deux mentait.
2. Nous pouvons éliminer les possibilités 2 et 3 car, si l'un des deux avait menti, l'autre n'aurait pu dire la vérité.
   Si le Prince aux cheveux noirs ment en disant qu'il est Abel, c'est qu'il est Benjamin et l'autre doit être Abel.
   Si le Prince aux cheveux roux ment en affirmant qu'il est Benjamin, c'est qu'il est Abel et l'autre doit donc être Benjamin.
3. Par conséquent, ils ont menti tous les deux.

20. Têtes à chapeaux: Oui, ils ont été libérés. Pauline porte un chapeau blanc.

La Princesse a résolu l'énigme de la manière suivante.

1. Si Benjamin et moi portions des chapeaux rouges, Abel saurait qu'il en porte un blanc puisqu'il n'y a que deux chapeaux rouges.
2. Benjamin sait qu'au moins un de nous, ou les deux, porte un chapeau blanc à cause de la confusion d'Abel.
3. Benjamin voit la couleur de mon chapeau, mais il ne sait toujours pas quelle couleur il porte.
4. Si mon chapeau était rouge, Benjamin saurait que son chapeau est blanc.
5. Donc, mon chapeau est blanc.

Peu importe le nombre de Princes et de Princesses. Tant que le nombre de chapeaux d'une couleur est inférieur d'une unité au nombre de prisonniers, l'un d'entre eux aura toujours un chapeau de l'autre couleur. D'où, le dernier prisonnier peut trouver la solution.

Si trois personnes sont impliquées, huit combinaisons sont possibles:

	1	2	3	4	5	6	7	8
Abel	B	B	B	B	R	R	R	R
Benjamin	B	B	R	R	B	R	B	R
Pauline	B	R	R	B	B	B	R	R
		X	X				X	X

1. La solution 8 est impossible: il n'y a que deux chapeaux rouges.
2. Nous pouvons éliminer la solution 3: Abel ne peut donner la couleur de son chapeau. Comme il n'y a que deux chapeaux rouges, il aurait su que le sien ne pouvait être que blanc.
3. Nous pouvons éliminer la solution 7: Benjamin ne peut répondre. Si les deux autres avaient porté des chapeaux rouges, il aurait su que le sien était blanc.
4. La solution 2 n'est pas exacte non plus. Si Pauline avait eu un chapeau rouge, Benjamin aurait su que le sien était blanc: ils ne pouvaient pas être rouges tous les deux.
5. Dans tous les autres cas, la chapeau de Pauline est blanc.

21. L'or caché: Le marchand sépare les jarres en trois groupes de trois. Il en dépose trois de chaque côté de la balance. Celle-ci est en équilibre, donc il sait que l'or se trouve dans les trois jarres qu'il n'a pas encore pesées. Il met de côté les six jarres pesées.

Puis il prend deux jarres sur les trois restantes et les met dans chaque plateau de la balance. Si les plateaux s'équilibrent, c'est la troisième jarre qui contient l'or.

La balance penche. Alors, quelle est la jarre qui contient l'or La plus lourde ou la plus légère?

Il enlève la plus légère du plateau et la met de côté. Puis il la remplace sur la balance par une des six jarres déjà pesées, dont il sait qu'elle ne contient pas d'or. Comme les plateaux ne sont toujours pas équilibrés, il sait que la jarre la plus lourde contient l'or.

22. Des paniers, encore des paniers: Il dépose quatre paniers de chaque côté de la balance. Comme les plateaux ne sont pas en équilibre, il sait que le panier contenant la nourriture pour cochon se trouve du côté où la balance penche. Si la balance avait été en équilibre, c'est que la nourriture pour cochon était dans les quatre paniers qu'il n'avait pas encore pesés.

Dans les deux cas, une seule pesée a suffi pour éliminer le panier de fourrage pour cochons.

23. Nourriture pour cochons: Il faut deux pesées supplémentaires. Il divise le groupe de quatre paniers qui a fait pencher la balance et en met deux sur chaque plateau. La nourriture pour cochons se trouve du côté le plus lourd. Il enlève les paniers plus légers et met un des paniers plus lourds de chaque côté de la balance. Cette fois, le plus lourd est celui qui contient la nourriture pour cochons.

24. Poids de plomb: 1, 3, 9 et 27 kg. (1)

Pour peser un objet de 2 kg, le marchand ajoute le poids de 1 kg du même côté que l'objet de 2 kg et contrebalance avec le poids de 3 kg ($2 = 3 - 1$).

Pour peser un objet de 4 kg, il équilibre l'objet par le poids de 3 kg et le poids de 1 kg ($4 = 3 + 1$).

Pour peser un objet de 40 kg, il le contrebalance par la totalité des quatre poids: $40 = 1 + 3 + 9 + 27$.

25. Pièces d'or et d'argent: Il prend une pièce dans le premier sac, deux dans le deuxième, trois dans le suivant, etc. jusqu'à ce qu'il en ait dix. Puis il les empile soigneusement et les pèse.

En tout, il pèse 55 pièces (1 + 2 + 3 + 4 + 5 + 6 + 7 + 8 + 9 + 10). Puisque chaque pièce d'or pèse 10 grammes, la balance aurait marqué 550 grammes si les pièces avaient toutes été en or. Le poids total plus léger indique le nombre de pièces d'argent et le numéro du sac qui les contient. Par exemple, si le poids total est de 543 grammes, il indique que sept pièces d'argent (550 - 543 = 7) ont été pesées avec les pièces d'or et que le reste des pièces d'argent se trouve dans le septième sac.

26. Les quatre frères:

	Cochon	Ane	Chameau	Chèvre
Ahmed	N			N
Sharif	N		N	
Abou	N			N
Omar			N	N

1. En complétant les cases avec les informations tirées des affirmations 1, 2, 4 et 5, Omar devrait être un cochon et Sharif une chèvre.

	Cochon	Ane	Chameau	Chèvre
Ahmed	N			N
Sharif	N		N	O
Abou	N			N
Omar	O		N	N

2. Omar est un cochon. Donc, selon l'affirmation 3, Ahmed doit être un chameau.

	Cochon	Ane	Chameau	Chèvre
Ahmed	N	N	O	N
Sharif	N	N	N	O
Abou	N		N	N
Omar	O	N	N	N

3. Abou est un âne.

27. Animaux et transport: Sharif, la chèvre, porte toujours l'huile.

	A	B	C	D	E	F	G	H
Ane	h	h	h	h	d	d	d	d
Chèvre	h	h	d	d	h	h	d	d
Chameau	h	d	h	d	h	d	h	d
	X		X	X			X	X

1. La condition 1 indique que la chèvre porte l'huile si l'âne porte les dattes, ce qui élimine les solutions G et H.
2. La condition 2 dit que le chameau porte les dattes si l'âne porte l'huile. Elle élimine les solutions A et C.
3. La condition 3 précise que le chameau porte l'huile si la chèvre porte les dattes, éliminant la solution D.
4. B n'est pas contradictoire. Cette solution indique que l'âne et la chèvre portent tous deux de l'huile et le chameau des dattes. Ce qui correspond à la condition 2: le chameau porte les dattes si l'âne porte l'huile. La condition 1 indique que la chèvre porte l'huile si l'âne porte les dattes. Par contre, si l'âne ne porte pas de dattes, la chèvre pourrait porter des dattes ou de l'huile. La condition 3 dit que le chameau porte l'huile si la chèvre porte les dattes. Puisque la chèvre ne porte pas de dattes, le chameau pourrait porter des dattes ou de l'huile.
5. E n'est pas contradictoire. Cette solution indique que l'âne porte des dattes alors que la chèvre et le chameau portent tous deux de l'huile. La condition 1 indique que la chèvre porte l'huile si l'âne

porte les dattes. Puisque l'âne ne porte pas d'huile, nous déduisons de la condition 2 que le chameau pourrait porter des dattes ou de l'huile. Puisque la chèvre ne porte pas de dattes, nous tirons de la condition 3 que le chameau porterait des dattes ou de l'huile.

6. F n'est pas contradictoire. Cette solution indique que l'âne et le chameau portent des dattes alors que la chèvre porte de l'huile. La condition 1 indique que la chèvre porte l'huile si l'âne porte les dattes. Puisque l'âne porte des dattes, nous déduisons de la condition 2 que le chameau pourrait porter les deux produits. Puisque la chèvre porte de l'huile, nous pouvons déduire de la condition 3 que le chameau peut porter des dattes.

7. Le seul animal dont la charge est assurée est la chèvre. Dans les trois situations, B, E et F, la chèvre porte toujours de l'huile.

	B	E	F
Ane	o	d	d
Chèvre	o	o	o
Chameau	d	o	d

28. Le nombre magique: 75

50	51	52	53	54	55	56	57	58	59
60	61	62	63	64	65	66	67	68	69
70	71	72	73	74	75	76	77	78	79

1. La condition A élimine tous les multiples de 2 sauf ceux qui vont de 50 à 59. Les nombres éliminés sont donc: 60, 62, 64, 66, 68 et 70, 72, 74, 76 et 78.

50	51	52	53	54	55	56	57	58	59
60	61	62	63	64	65	66	67	68	69
70	71	72	73	74	75	76	77	78	79

2. La condition B veut que le nombre à découvrir va de 60 à 69 s'il n'est pas un multiple de 3. Cela élimine les nombres suivants: 50, 52, 53, 55, 56, 58, 59, 71, 73, 77, 79.

50	51	52	53	54	55	56	57	58	59
60	61	62	63	64	65	66	67	68	69
70	71	72	73	74	75	76	77	78	79

3. La condition C dit que si le nombre n'est pas un multiple de 4, alors il va de 70 à 79. Cela élimine 51, 54, 57 et 61, 63, 65, 67 et 69.

50	51	52	53	54	55	56	57	58	59
60	61	62	63	64	65	66	67	68	69
70	71	72	73	74	75	76	77	78	79

4. Le nombre restant, 75, remplit les trois conditions.
   A. Ce n'est pas un multiple de 2 et il n'est pas compris entre 50 et 59.
   B. C'est un multiple de 3 et il n'est pas contenu entre 60 et 69.
   C. Ce n'est pas un multiple de 4 et c'est bien un nombre entre 70 et 79.

29. Seth rencontre le dragon:

	Lac	Cruche de 5 tasses	Cruche de 3 tasses	
1.	-5	5	0	Seth remplit la cruche de 5 tasses dans le lac.
2.	-5	2	3	Il puise dans cette cruche pour remplir la cruche de 3 tasses, laissant 2 tasses dans la cruche de 5 tasses.
3.	-3	2	0	Il vide la cruche de 3 tasses dans le lac.
4.	-2	0	2	Il verse les 2 tasses qui restent de la cruche de 5 tasses dans la cruche de 3 tasses.
5.	-7	5	2	Puis, il remplit à nouveau la cruche de 5 tasses.

	Lac	Cruche de 5 tasses	Cruche de 3 tasses	
6.	-7	4	3	Il remplit la cruche de 3 tasses avec le liquide de la cruche de 5 tasses. Puisqu'il reste deux tasses dans la cruche de 3 tasses, cela laisse quatre tasses dans la cruche de 5 tasses.
7.	-4	4	0	Il vide la cruche de 3 tasses dans le lac.

30. La deuxième épreuve:

	Cruche de 12 tasses	Cruche de 7 tasses	Cruche de 5 tasses	
	12	0	0	Seth remplit la cruche de 7 tasses avec la cruche de 12 tasses, laissant cinq tasses dans la cruche de 12 tasses.
1.	5	7	0	
2.	5	2	5	A partir de la cruche de 7 tasses, il remplit celle de 5 tasses, laissant deux tasses dans la cruche de 7 tasses.
3.	10	2	0	Il vide la cruche de 5 tasses dans celle de 12 tasses, qui compte maintenant dix tasses d'eau.
4.	10	0	2	Il vide les deux tasses d'eau de la cruche de 7 tasses dans la cruche de 5 tasses.
5.	3	7	2	Il remplit à nouveau la cruche de 7 tasses à partir de celle de 12 tasses, laissant trois tasses d'eau dans celle-ci.
6.	3	4	5	Il remplit la cruche de 5 tasses avec l'eau de la cruche de 7 tasses, ce qui laisse quatre tasses dans la cruche de 7 tasses.
7.	8	4	0	Il vide la cruche de 5 tasses dans la cruche de 12 tasses. Celle-ci contient maintenant huit tasses d'eau.
8.	8	0	4	Il vide les quatre tasses d'eau de la cruche de 7 tasses dans la cruche de 5 tasses.

	Cruche de 12 tasses	Cruche de 7 tasses	Cruche de 5 tasses	
9.	1	7	4	Il remplit la cruche de 7 tasses à partir des huit tasses d'eau qui se trouvent dans la cruche de 12 tasses. Il reste une tasse dans la cruche de 12 tasses.
10.	1	6	5	Il remplit la cruche de 5 tasses avec une tasse d'eau provenant de la cruche de 7 tasses, en laissant six dans la cruche de 7 tasses.
11.	6	6	0	Il verse les cinq tasses d'eau de la cruche de 5 tasses dans la cruche de 12 tasses. Maintenant, les cruches de 12 et 7 tasses contiennent toutes deux six tasses d'eau.

31. Walter le malicieux: Seth commence par verser l'eau dans la jarre la plus grande.

A.	Jarre de 10 l	Jarre de 4 l	Jarre de 3 l
	10	0	0
1.	6	4	0
2.	6	1	3
3.	9	1	0
4.	9	0	1
5.	5	4	1

S'il avait d'abord versé l'eau dans la jarre la plus petite, il aurait dû effectuer 2 fois plus d'opérations.

B.	Jarre de 10 l	Jarre de 4 l	Jarre de 3 l
	10	0	0
1.	7	0	3
2.	7	3	0
3.	4	3	3
4.	4	4	2
5.	6	4	0
6.	6	1	3
7.	9	1	0
8.	9	0	1
9.	5	4	1

32. Triple menace: Il existe au moins cinq solutions pour obtenir trois litres dans trois jarres. En commençant par verser l'eau dans la jarre de 5 litres, il faut effectuer sept opérations. Si on commence par la verser dans une des jarres plus petites, six opérations suffisent.

	Jarre de 9 l	Jarre de 5 l	Jarre de 4 l	Jarre de 2 l
	9	0	0	0
1.	4	5	0	0
2.	4	3	0	2
3.	4	0	3	2
4.	6	0	3	0
5.	1	5	3	0
6.	1	3	3	2
7.	3	3	3	0

33. Goutte à goutte: Seth mesure les trois gouttes en quatre étapes et les quatre gouttes en six étapes.

En commençant par la fiole de cinq gouttes, il faut 4 opérations pour obtenir trois gouttes* et 14 opérations pour en obtenir quatre**.
En débutant par la fiole de sept gouttes, il faudra 16 opérations pour obtenir trois gouttes• et 6 opérations pour en obtenir quatre••.

A.	Fiole 5 gouttes	Fiole 7 gouttes	B.	Fiole 7 gouttes	Fiole 5 gouttes
1.	5	0		7	0
2.	0	5		2	5
3.	5	5		2	0
4.	* 3	7		0	2
5.	3	0		7	2
6.	0	3		•• 4	5
7.	5	3		4	0
8.	1	7		0	4
9.	1	0		7	4
10.	0	1		6	5
11.	5	1		6	0
12.	0	6		1	5
13.	5	6		1	0
14.	** 4	7		0	1
15.				7	1
16.				• 3	5

34. Le puits de science: 1/2 ou 50% de chances. Une pièce a deux côtés. Elle tombe d'un côté ou de l'autre (pile ou face): les probabilités sont identiques. Il y a une chance sur deux que la pièce tombe du côté face. Nul besoin de formule quand il n'y a que deux possibilités. Par contre, à mesure que les possibilités augmentent, développer une formule facilitera le raisonnement et vous fournira plus vite la solution.

Formule:
   x = nombre de moyens par lesquels le résultat sera favorable
   y = nombre de moyens par lesquels le résultat sera défavorable
   N = nombre total d'événements possibles (x + y)
   P = probabilité de succès

Probabilité de résultat positif
   P = x/x + y = x/N

35. Evelyne et le puits: 1/4 ou 25%. Voici les possibilités :

La pièce de Merlin	La pièce d'Evelyne
face	pile
pile	pile
pile	face
face	face

La probabilité que la pièce tombe deux fois de suite du côté face est d'une sur quatre. Ici aussi, pas de formule, le problème est simple. Voyons tout de même comment procéder. Il est plus facile de comprendre une formule quand on n'a pas besoin d'elle pour trouver une solution.

La formule de réalisation conjointe

$$P (a \text{ et } b) = P (a) \times P (b)$$

P = possibilité de réalisation (succès)

a = probabilité que la pièce de Merlin tombe du côté face = 1/2
b = probabilité que la pièce d'Evelyne tombe du côté face = 1/2

P(a) x P(b) = ?
P(a) x P(b) = 1/2 x 1/2 = 1/4

Il y a une chance sur quatre que les pièces de Merlin et Evelyne tombent toutes les deux côté face.

36. Et trois avec Perceval: 1/8 ou 12,5%

Merlin	Evelyne	Perceval
pile	pile	pile
pile	pile	face
pile	face	pile
pile	face	face
face	pile	pile
face	pile	face
face	face	pile
face	face	face

Chacun des trois joueurs a une chance sur deux d'obtenir face.
La formule: 1/2 x 1/2 x 1/2 = 1/8
Il y une chance sur huit que les trois pièces tombent du côté face.

37. Quatre pièces dans le puits: 1/16 ou 6,25%.
A chaque lancer, la probabilité est de 1/2.
Comme il y a quatre lancers, la formule est: 1/2 x 1/2 x 1/2 x 1/2 = 1/16.
Il y une chance sur seize que les quatre pièces tombent du côté face. Si
vous établissez la liste des possibilités, vous verrez que:

Merlin	Evelyne	Perceval	Vivienne
pile	pile	pile	pile
pile	pile	face	pile
pile	face	pile	pile
pile	face	face	pile
face	pile	pile	pile
face	pile	face	pile
face	face	pile	pile
face	face	face	pile
pile	pile	pile	face
pile	pile	face	face
pile	face	pile	face
pile	face	face	face
face	pile	pile	face
face	pile	face	face
face	face	pile	face
face	face	face	face

38. Le lancer d'Oberon: 1/2 ou 50%. La pièce d'Oberon peut tomber du côté pile ou face. Il y a une chance sur deux qu'il obtienne pile.

39. Combien de magiciens plus puissants?: 14.
On peut s'attendre à ce que la moitié des lancers des apprentis corresponde au lancer précédent. Chaque lancer a une chance sur deux d'avoir le même résultat que le précédent. Bien sûr, la possibilité qu'il gagnent tous existe, même si elle est fort improbable.

40. Sorciers aveugles: 1/256. Puisqu'il y a quatre coins, la formule est $1/4 \times 1/4 \times 1/4 \times 1/4 = 1/256$

41. Magie sans magie: Puisqu'il y a quatre as dans un jeu de 52 cartes, la probabilité que Lorelei tire un as est de 4/52 ou 1/13 (une chance sur treize). Comme il y a 13 cœurs, Urth a une chance sur quatre de tomber sur un cœur: 13/52 ou 1/4.

42. Un autre tour: Si Lorelei tire un as du premier coup, elle a plus de chances d'apparaître comme une magicienne douée si elle remet la carte dans le paquet. Ses chances de tirer deux as sont les suivantes: $4/52 \times 4/52 = 1/13 \times 1/13 = 1/169$. Par contre, si elle met sa carte sur le côté, ses chances de trouver deux as sont plus réduites: $4/52 \times 3/51 = 1/13 \times 1/17 = 1/221$.

43. Des cœurs pour Urth: Si Urth tire un cœur au premier coup et qu'il le remet dans le paquet, la probabilité qu'il trouve deux cœurs est la suivante: $13/52 \times 13/52 = 1/4 \times 1/4 = 1/16$. S'il met le cœur sur le côté, la probabilité: $1/4 \times 12/51 = 12/204 = 1/17$.

44. Locomotion Martienne: D. A chaque fois qu'il fait un mouvement, le Martien tourne de 45 degrés dans le sens contraire des aiguilles d'une montre.

45. Les cruches du dragon: B. La cruche de 4 litres. Chaque cruche contient la moitié de litres en plus que la précédente.

46. Le coup de baguette de Merlin: C. Dragon et chevalier vont à gauche.

47. L'epée manquante: C. Ici, il faut tenir compte de la quantité et de la direction. Il y a trois ensembles avec 1 épée, trois ensembles comprenant 2 épées mais seulement deux ensembles de 3 épées. Aucune des épées n'est pointée vers le bas.

48. Le génie et les pièces: A. Doublez le nombre de pièces de la case précédente et ajoutez 1 (2 + 1 = 3, 6 + 1 = 7, 14 + 1 = 15, 30 + 1 = 31).

49. Le pouvoir du génie: A. Le génie change la forme de la créature qui se trouve à côté de lui.

50. Danse rituelle Martienne: D. Dans le n°2, les grands Martiens changent de place. Dans le n°3, les petits Martiens changent de place. Dans le n°4, les petits et grands Martiens tachetés bougent. Donc, dans le n° 5, ce sont les petits et grands Martiens rayés qui bougent.

51. Pirouettes de génie: C. La nourriture tourne à inverse des aiguilles d'une montre, autour des animaux.

52. Manège médiéval: D. Les chevaliers et les dames blancs et noirs alternent en tournant dans le sens inverse des aiguilles d'une montre. Le cheval et le dragon tournent dans le sens des aiguilles d'une montre.